¿Quién fue
Tomás
Jefferson?

e

Tomás Jefferson?

Dennis Brindell Fradin
Ilustraciones de John O'Brien

Santillana USA

Para Tess
J.O'B.

Altea

Título original: *Who Was Thomas Jefferson?*
© Del texto: 2003, Dennis Brindell Fradin
© De las ilustraciones: 2003, John O'Brien
© De la ilustración de portada: 2003, Nancy Harrison
Todos los derechos reservados.
Publicado en español con la autorización de Grosset & Dunlap, una división
de Penguin Young Readers Group

© De esta edición:
2009, Santillana USA Publishing Company, Inc.
2023 NW 84th Avenue
Miami, FL 33122, USA
www.santillanausa.com

Altea es un sello editorial del **Grupo Santillana**. Éstas son sus sedes:

ARGENTINA, BOLIVIA, BRASIL, CHILE, COLOMBIA, COSTA RICA, ECUADOR, EL SALVADOR,
ESPAÑA, ESTADOS UNIDOS, GUATEMALA, MÉXICO, PANAMÁ, PARAGUAY, PERÚ,
PORTUGAL, PUERTO RICO, REPÚBLICA DOMINICANA, URUGUAY Y VENEZUELA.

¿Quién fue Tomás Jefferson?
ISBN: 978-1-60396-425-8

Printed in the United States of America by Whitehall Printing Company

18 17 16 15   2 3 4 5 6 7 8 9

Índice

¿Quién fue
Tomás Jefferson?

Tomás Jefferson aparece en las monedas de cinco centavos de Estados Unidos. Su rostro también está en la escultura gigante del Monte Rushmore, en Dakota del Sur. El Monumento a Jefferson es un sitio turístico famoso en Washington, D.C. Muchos lugares, como Jefferson City, en Missouri, y Mount Jefferson, en Oregón, han sido nombrados en su honor.

MONUMENTO A JEFFERSON

¿Por qué se le honra de tantas maneras?

Jefferson escribió la Declaración de Independencia. Este documento anunció el nacimiento de Estados Unidos en 1776. Sus palabras conmovedoras, como "todos los hombres son creados iguales", han inspirado a muchos durante más de 225 años.

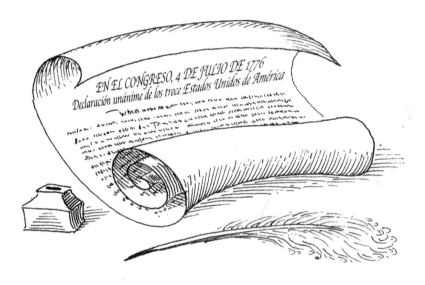

Jefferson era un gigante en muchos campos. Fue un gran estadista: se desempeñó como nuestro tercer presidente. Fue un talentoso arquitecto: diseñó el Capitolio de Virginia y la Universidad de Virginia.

Lo llamaban "Señor Mamut" porque coleccionaba huesos prehistóricos. Su colección de libros se convirtió en la base de la Biblioteca del Congreso.

A pesar de los muchos triunfos que tuvo en su vida pública, su vida privada fue triste, en general. Su esposa, Martha, murió con tan solo 33 años de edad. Sólo dos de los seis hijos de Tomás y Martha vivieron hasta convertirse en adultos. Jefferson también se sentía culpable porque sus actos no eran consecuentes con sus palabras. El hombre que escribió "todos los hombres son creados iguales" era dueño de cientos de esclavos. Y en sus últimos días, este ex presidente, estaba ahogado en deudas.

Ésta es la verdadera historia de un hombre con muchas caras: Tomás Jefferson.

Capítulo 1
Tom, el alto

Tomás Jefferson nació en 1743 en la plantación de su familia en Shadwell, en el centro de Virginia. Virginia era una de las trece colonias que pertenecían a Gran Bretaña. Según el calendario que se usaba en esa época, su fecha de nacimiento fue el 2 de abril. Según el calendario actual, fue el 13 de abril.

Tom fue el tercero en una familia de diez hijos. Dos de sus hermanos murieron en la niñez, así que Tom creció con dos hermanas mayores, cuatro hermanas menores y un hermano menor. Los bebés de la familia, Anna y Randolph, eran gemelos.

Se sabe muy poco acerca de su madre, Jane Randolph Jefferson. Se sabe mucho más sobre su padre. Peter Jefferson era un rico agricultor, dueño de docenas de esclavos. También era agrimensor, una

Las trece colonias

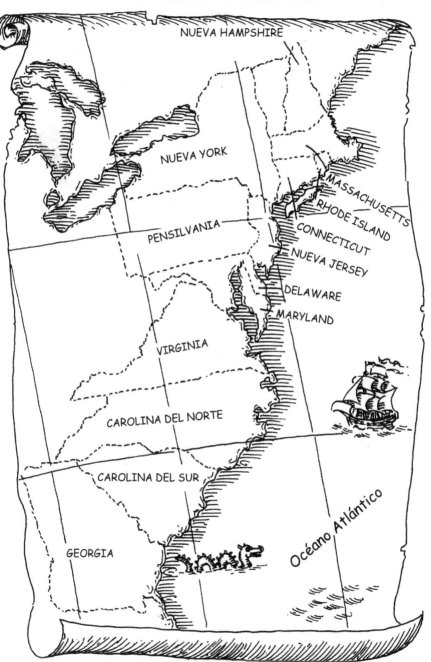

SHADWELL

persona que mide terrenos. Además, trabajó en la legislatura de Virginia. De niño, Tom creía que su padre era el hombre más inteligente y fuerte del mundo. Se dice que una vez, Peter Jefferson levantó dos barriles de tabaco que se habían volcado. Dicen que cada barril pesaba cerca de 1,000 libras. También le encantaban los libros y leía obras de Shakespeare y de otros autores en sus ratos libres.

Tom tenía tres primos de apellido Randolph que vivían en el este de Virginia. Como sus padres murieron, uno muy seguido del otro, los padres de Tom ayudaron a criarlos. Uno de los primeros recuerdos de Tom fue el día en que se mudaron a casa de sus primos, a unas 50 millas de la suya.

Tenía dos años de edad. Tom viajó de un lado a otro
durante gran parte de su niñez. A veces pasaba una
temporada en su casa, en Shadwell, y otras veces, él
y su familia se instalaban en Tuckahoe, en casa de
los Randolph.

De cierto modo, tenía lo mejor de dos mundos.
En Shadwell, que quedaba en el campo, su padre
le enseñó a montar a caballo, nadar, pescar y cazar.
En el este de Virginia, Tom iba a bailes y aprendió

a vestirse y a comportarse como un caballero inglés.
Sin embargo, parece que no se llevaba bien con sus
primos. El chico, que también
se llamaba Tom, era dos
años mayor que él y lo
atemorizaba.

Cuando Tom cumplió
nueve años, alguien se hizo
cargo de sus primos, y la mayoría de los Jefferson regresó
a Shadwell. Muy a su pesar,

al regresar a casa, en 1752, lo enviaron a estudiar con el reverendo William Douglas, cerca de Tuckahoe.

El reverendo Douglas le enseñó latín, griego y francés. Tom estudió y vivió con el reverendo durante cinco años. Sólo regresaba a Shadwell para las vacaciones. Aunque su trabajo escolar le parecía aburrido, le gustaba leer por su cuenta. Se entregaba tanto a la lectura, que podía llegar a leer hasta por 15 horas seguidas.

También le encantaba la música. Practicaba con su violín unas tres horas diarias.

A los 13 años, Tom era un muchacho alto y delgado, pelirrojo y pecoso. Medía 6 pies y 2 pulgadas de alto. En una época en la que la estatura promedio de un hombre era 5 pies y 6 pulgadas, Tom era considerado un gigante. Lo apodaban *Tall Tom* ("Tom, el alto").

Tom estaba en casa durante el verano de 1757, cuando su padre enfermó. Peter Jefferson

murió ese agosto. Tom, que entonces tenía 14 años, quedó abatido con la pérdida de su padre y héroe. Por ser el hijo mayor, heredó gran parte de las propiedades de su padre, incluyendo 2,500 acres de tierra y unos 30 esclavos. Sin embargo, no recibiría su herencia hasta cumplir los 21 años.

Peter Jefferson había deseado que Tom fuera a la universidad. Para prepararse, Tom vivió y estudió con otro ministro por dos años más. A Tom no le gustaba mucho su maestro, pero al menos ahora estaba tan cerca de Shadwell que podía pasar los fines de semana en casa. En 1760, "Tom, el alto," tenía 16 años y muchas ganas de entrar a la universidad.

Capítulo 2
Tom, el alto, se enamora

Tom se mudó a Williamsburg en la primavera de 1760. Esta ciudad, cercana a la costa, era la capital de Virginia y la sede de la Universidad de William y Mary. A Tom le encantó la universidad desde el primer día. Estaba loco por aprender y le gustaba estudiar hasta muy tarde en la noche.

Se hizo amigo de un profesor, William Small. El doctor Small lo presentó a sus amigos George Wythe y Francis Fauquier. Wythe era un conocido abogado. Fauquier era el gobernador colonial de Gran Bretaña en Virginia.

UNIVERSIDAD DE WILLIAM Y MARY

Fauquier invitaba con frecuencia a Small, Wythe y Jefferson a cenar al palacio del gobernador. A veces, el estudiante pelirrojo tocaba su violín en conciertos que ofrecía el gobernador.

Tom se graduó tan sólo dos años después, en 1762. Tenía que decidirse por una carrera. Le atraía el derecho. En aquellos tiempos, los muchachos jóvenes (no había mujeres abogadas) estudiaban con reconocidos abogados. Después de un tiempo, tomaban un examen de leyes. Quienes pasaban el examen, se convertían en abogados.

Tom comenzó a estudiar bajo la tutoría de George Wythe. No podía haber encontrado un mejor maestro. En tiempos de la colonia, los abogados solían tener mala reputación. Incluso había colonias con leyes que ¡prohibían la entrada de abogados a sus territorios! Wythe, sin embargo, era famoso por su honestidad. No tomaba casos si sospechaba que la persona que tendría que defender estaba equivocada o mentía.

Wythe no le facilitó las cosas a Tom, a pesar de que eran amigos. Tom estudió con él durante cinco años, mientras que un amigo de Tom, Patrick Henry, estudió apenas unos pocos meses antes de convertirse en abogado. Incluso en la actualidad, las escuelas de derecho por lo general no exigen más de tres años de estudio. Una de las razones por las que la preparación de Tom tomó tanto tiempo, fue el hecho de que Wythe era un tesoro viviente de conocimientos legales. Además, a Tom le gustaba su maestro. Tom llamaba a Wythe, quien era 17 años mayor que él, "mi segundo padre".

En 1767, a Tom se le permitió trabajar en los tribunales. Comenzó a trabajar como abogado cerca de Shadwell y en Williamsburg. George Wythe había hecho un buen trabajo como maestro. Durante su primer año, el joven abogado de 24 años trabajó en 67 casos. El número aumentó a 115 el segundo año, y se acercó a 200 en el tercer año. El problema de Tom era que no presionaba a sus clientes para que le pagaran. ¡En sus primeros seis años como abogado, recibió apenas un tercio de sus honorarios!

Tom comenzó a interesarse en la política. En 1769, se lanzó como candidato a las elecciones para la Cámara de los Burgueses y ganó un escaño. Ésta era la legislatura de Virginia. Fue el cuerpo legislativo más antiguo del continente americano conformado por representantes elegidos. Jefferson trabajó en la Cámara hasta que la Guerra de Independencia terminó con el gobierno colonial.

La Cámara de los Burgueses

LA CÁMARA DE LOS BURGUESES DE VIRGINIA SE REUNÍA PARA TOMAR DECISIONES SOBRE LAS LEYES LOCALES. SU PRIMERA REUNIÓN HISTÓRICA TUVO LUGAR EN JAMESTOWN EN EL AÑO DE 1619.

LA CÁMARA DE LOS BURGUESES DESEMPEÑÓ UN PAPEL IMPORTANTE EN LA GUERRA DE INDEPENDENCIA. EN LAS DÉCADAS DE 1760 Y 1770, SUS MIEMBROS COMENZARON A OPONERSE A DECISIONES QUE TOMABA EL GOBERNADOR DE LA CORONA INGLESA EN VIRGINIA. ESTOS CIUDADANOS AYUDARON A INCITAR UN ESPÍRITU UNIDO DE LUCHA POR LA LIBERTAD A TRAVÉS DE LAS TRECE COLONIAS.

Jefferson tenía otras cosas en la mente, a parte de las leyes y la política. Shadwell, el hogar de su familia, se quemó en 1770. Jefferson estaba en Charlottesville, Virginia, cuando un esclavo le trajo la noticia. Luego de enterarse de que sus parientes estaban bien, preguntó si todas sus propiedades se habían echado a perder.

—No, no todas —le dijo el esclavo—. Salvamos su violín.

Ese mismo año, Jefferson comenzó a construir una casa que él mismo había diseñado. La mansión de 35 habitaciones se construyó con el esfuerzo de sus esclavos en la cima de una colina a cuatro millas de Shadwell, cerca de Charlottesville. Jefferson le dio a su nueva casa el nombre de "Monticello", que quiere decir "pequeña montaña" en italiano.

En sus pensamientos también había muchachas. A los 19 años, se enamoró de Rebecca Burwell, que tenía 16. Tom cargaba un retrato de ella en su reloj.

La apodaba "Belinda". Pero era demasiado tímido para expresarle sus sentimientos.

En los tiempos coloniales, las mujeres solían casarse a los 16 ó 17 años, y los hombres a los 20 ó 21. Una de las razones por las cuales se casaban tan jóvenes era porque la esperanza de vida en esa época era menos de 40 años. Era común que la gente muriera de enfermedades y complicaciones que hoy se pueden curar.

En un baile que se realizó en Williamsburg, Tom vio la oportunidad de proponerle matrimonio a Rebecca. Pero cuando bailó con ella, apenas dijo "un par de frases entrecortadas", según le comentó él mismo a un amigo. La volvió a ver unas semanas después, pero sólo atinó a decirle que le gustaría casarse con ella algún día. ¡Eso no suena mucho a propuesta matrimonial! Unos meses más tarde, Rebecca se casó con otro hombre.

MONTICELLO

"PEQUEÑA MONTAÑA"

PABELLÓN
NORTE

TERRAZA
NORTE

ROTONDA

JEFFERSON COMENZÓ A DISEÑAR MONTICELLO ALREDEDOR DE 1767. EL DISEÑO ERA SIMILAR A EDIFICACIONES CREADAS EN EL SIGLO XVI POR EL ARQUITECTO ITALIANO ANDREA PALLADIO. LA CONSTRUCCIÓN COMENZÓ EN 1770 Y TERMINÓ EN 1809. JEFFERSON SE MUDÓ AL PABELLÓN SUR DE MONTICELLO DESPUÉS DE QUE UN INCENDIO DESTRUYERA LA CASA EN LA QUE HABÍA NACIDO EN SHADWELL, EN 1770.

CÚPULA   ENTRADA ORIENTAL

PÓRTICO
ORIENTAL

ENTRADA
OCCIDENTAL

PÓRTICO
OCCIDENTAL

INVERNADERO

TERRAZA SUR

BELLÓN SUR

VIVIENDAS DE LOS
ESCLAVOS, AHUMADERO
Y COCINA

El corazón roto de Tom tomó varios años en recuperarse. En 1770, conoció a Martha Wayles Skelton. Era una jovencita bella, de ojos color avellana y cabello castaño rojizo. Tenía 22 años, era viuda y tenía un niño pequeño llamado John.

MARTHA WAYLES SKELTON

Martha y Tom se enamoraron. Tom visitaba a Marta en El Bosque, la plantación de su padre. Los dos compartían el amor por la música. No sólo cantaban juntos. A veces, Tom tocaba el violín mientras

Martha tocaba el clavicordio, un instrumento parecido al piano. De acuerdo a un relato de la familia Jefferson, Tom y Marta estaban tocando una canción de amor en la sala de El Bosque, cuando otros dos admiradores de Martha llegaron. Al escuchar el dueto, supieron de inmediato que Tom se había ganado el corazón de Martha y se marcharon.

Tom y Martha se casaron el día de Año Nuevo de 1772 en El Bosque. La celebración duró más de dos semanas. El 18 de enero, los recién casados partieron

en una carroza hacia Monticello. Durante el largo viaje de 100 millas, los sorprendió una tormenta de nieve. Tomás escribió en su diario: "Había unos 3 pies de nieve, nunca habíamos visto antes tanta acumulación". Tuvieron que abandonar la carroza y continuar el viaje a caballo. Ya entrada la noche llegaron por fin a su nueva casa, donde iniciarían una vida juntos.

Tomás y Martha permanecieron profundamente enamorados durante sus diez años y medio de matrimonio. También soportaron juntos muchos momentos tristes. John, el hijo de Martha de 4 años, que se había quedado en El Bosque con sus abuelos, enfermó y murió en junio de 1772. Durante los años siguientes, Tom y Martha tuvieron cinco niñas y un niño. Tres de ellos murieron antes de cumplir los 3 años. Sólo su primogénita, Patsy, y otra hija llamada María llegaron a ser adultos.

TOM   PATSY   MARÍA   MARTHA

Capítulo 3
La Declaración

Cuando se casó, en 1772, Jefferson estaba en su tercer año en la Cámara de los Burgueses. Durante los últimos años, en las colonias había aumentado el descontento con el régimen británico. Inglaterra quería imponerles impuestos a los colonos. Éstos se negaban a pagarlos. La Ley del Té de 1773 empeoró las cosas. El 16 de diciembre, un grupo de personas protestó en Boston, Massachusetts, por el impuesto al té que se decretaba con esta ley. Se subieron a tres barcos y arrojaron 342 baúles llenos de té a las aguas de la Bahía de Boston. Esto se conoció como el Motín del Té de Boston. Para castigar a los colonos, Inglaterra cerró el puerto. Los colonos tuvieron dificultades para obtener los productos que necesitaban.

Motín del té de Boston
16 DE DICIEMBRE DE 1773

PARA PROTESTAR CONTRA EL IMPUESTO AL TÉ, LOS PATRIOTAS SE DISFRAZARON DE INDÍGENAS, SUBIERON A BORDO DE TRES BARCOS BRITÁNICOS Y ARROJARON 342 BAÚLES DE TÉ A LAS AGUAS DE LA BAHÍA DE BOSTON.

Los británicos esperaban que el castigo hiciera que a los colonos les diera miedo volver a desobedecer. Pero lo que sucedió fue todo lo contrario. Muchos colonos, incluyendo a Tomás Jefferson, se pusieron furiosos. Sentían que los impuestos injustos de los británicos eran la causa del problema.

Durante estos agitados días de conmoción, Patrick Henry dio un discurso famoso en el que dijo "¡Denme la libertad o denme la muerte!". A diferencia de Henry, Jefferson era mal orador. Por ello se quedaba en silencio durante las reuniones

¡DENME LA LIBERTAD O DENME LA MUERTE!"

públicas. ¡Pero sí sabía escribir! En 1774, escribió un documento titulado *Breve análisis de los derechos de la América británica*. Éste fue su primer escrito

político importante. Revelaba sus opiniones más allá del asunto de los impuestos. Jefferson afirmó, en dicho documento, que quizás los colonos estaban listos para separarse de Inglaterra. Incluso se refirió a las colonias como "los estados de América".

Jefferson también sugirió que el 1.º de junio de 1774 (el día en que se cerraría el puerto de Boston), la Cámara de los Burgueses no trabajara como de costumbre. Propuso que, en cambio, los legisladores de Virginia oraran y ayunaran (no comieran) como muestra de apoyo a Massachusetts. Los legisladores compañeros de Jefferson estuvieron de acuerdo.

Lord Dunmore, el gobernador británico de Virginia, se enteró del plan. Decidió cerrar la Cámara de los Burgueses, en Williamsburg. Pero esto no

GEORGE
WASHINGTON

detuvo a Jefferson y sus colegas, que marcharon hacia la posada Raleigh. Allí declararon que los colonos formaban un solo pueblo y debían unirse. También se propuso organizar una reunión con delegados de las colonias.

Esta gran reunión se llevó a cabo en Filadelfia, Pensilvania, en el otoño de 1774. Se llamó el Primer Congreso Continental. Todas las colonias enviaron delegados, excepto Georgia. Jefferson no pudo asistir porque tenía problemas estomacales, pero la delegación de Virginia incluía a George Washington y Patrick Henry. Volverían a reunirse en la siguiente primavera si los abusos de Gran Bretaña continuaban.

Nada cambió. Entonces, el 19 de abril de 1775, estalló una guerra entre las trece colonias y Gran Bretaña en Lexington, Massachusetts.

El Segundo Congreso Continental se inició en mayo de ese año en Filadelfia, en el Capitolio de Pensilvania. Jefferson no estuvo al comienzo porque no había sido elegido como delegado, pero luego hubo una vacante en la delegación de Virginia, y entonces llegó su oportunidad. Jefferson hizo el viaje de 250 millas a Filadelfia en su carroza.

BATALLA DE LEXINGTON Y CONCORD
19 DE ABRIL DE 1775

Para el 22 de junio de 1775, el pelirrojo alto de Virginia ya tenía su lugar en el Congreso. Aunque rara vez hablaba, todos sabían que era bueno con la pluma. Le pedían que escribiera algunos de los documentos oficiales del Congreso.

A lo largo del año siguiente, el Congreso tuvo dificultades para tomar decisiones. Algunos delegados no querían cortar todos los vínculos con Gran Bretaña. Esperaban que la guerra que se había iniciado en Massachusetts terminara pronto. Así las colonias volverían a ser gobernadas por Gran Bretaña. Otros delegados, incluyendo a Tomás Jefferson, querían crear una nueva nación independiente. Mientras la guerra continuaba, más y más delegados se inclinaban por la independencia. El 7 de junio de 1776, Richard Henry Lee, de Virginia, se puso de pie en el Congreso. Instó a todos los delegados a declarar la independencia de las colonias.

El Congreso debía votar la propuesta a comienzos de julio. La mayoría de las colonias (siete de las trece)

tenía que votar a favor de la independencia para que la medida fuera aprobada.

¿Qué pasaría si en la votación ganaba la independencia? El Congreso tendría que explicarle al mundo por qué las colonias de América querían separarse de Inglaterra. Entonces, se creó un comité para que escribiera una Declaración de Independencia. Estaba

BENJAMÍN FRANKLIN

conformado por Benjamín Franklin, de Pensilvania; John Adams, de Massachusetts; Roger Sherman, de Connecticut; Robert R. Livingston, de Nueva York; y Tomás Jefferson, de Virginia.

En lugar de trabajar en grupo, el comité decidió que uno de ellos escribiera la Declaración. Franklin, estadista y científico reconocido en todo el mundo, parecía ser la persona apropiada para hacerlo. Pero Ben tenía 70 años y no gozaba de buena salud. Al final, la decisión estaba entre Jefferson y Adams.

Éstos eran tiempos difíciles para Jefferson. A comienzos de 1776 estuvo ausente del Congreso, periodo durante el cual falleció su madre. Después le dio una fuerte migraña que le duró seis semanas. Así que no regresó al Congreso hasta mediados de mayo. Por todo eso, cuando habló con John Adams en junio sobre el documento, no se encontraba con ánimo de escribir.

Adams recordó después que cada uno trató de convencer al otro de que escribiera la Declaración.

—Debes hacerlo —dijo Jefferson, quien tenía 33 años y era 7 años menor que Adams.

—No lo haré —replicó John Adams.

—¿Por qué no? —quiso saber Jefferson.

—Tengo razones de sobra —dijo Adams.

—¿Qué razones pueden ser? —insistió Tomás.

Adams dijo que, primero que todo, un hombre de Massachusetts no debería escribir la Declaración. Allí se habían realizado el Motín del Té y la primera batalla de la guerra. Era el momento de que otras colonias se involucraran más. En segundo lugar, a los otros delegados les gustaba más Tomás que él. Una Declaración escrita por Jefferson sería mejor recibida que una escrita por Adams.

—La tercera razón —dijo John Adams— ¡es que tú escribes diez veces mejor que yo!

El elogio surtió efecto.

—Bueno —dijo Tomás Jefferson— si ésa es tu decisión, haré lo mejor que pueda.

Tomás se sentó en su apartamento en un segundo piso en la esquina de las calles Market y 7.ª en Filadelfia. Instaló su mesa portátil y sacó papel, pluma y tinta. "Cuando en el curso de los acontecimientos humanos", comenzó diciendo, "se hace necesario

para un pueblo disolver los vínculos políticos que lo han ligado a otro…"

Se inspiraba más a medida que su pluma avanzaba por el papel. Unas cuantas líneas más adelante incluyó las conmovedoras palabras: "Sostenemos como evidentes estas verdades: que todos los hombres son creados iguales…".

Luego describió la manera injusta como Gran Bretaña había tratado a las colonias americanas. Y terminó con una oración emocionante: "Y en apoyo a esta Declaración, […] empeñamos nuestra vida, nuestra hacienda y nuestro sagrado honor".

Si al realizar la votación, la idea de la independencia se rechazaba, la Declaración acabaría en la basura. El documento sólo se necesitaría si la independencia era aprobada. Cuando se hizo la votación, el 2 de julio, 12 colonias eligieron la independencia. Nueva York se abstuvo de votar, pero unos días más

Sostenemos como evidentes estas creados iguales; que son dotados por su bles; que entre éstos están la vida, la

tarde, el voto a favor de Nueva York convirtió el fallo en una decisión unánime.

Los delegados creían que el 2 de julio de 1776, cuando fue aprobada la independencia, sería considerado el día del nacimiento de la nueva nación. Estaban equivocados. El Congreso le hizo algunos cambios a la Declaración y finalmente la aprobó el 4 de julio. Se enviaron copias de la Declaración a los 13 nuevos estados. A los estadounidenses les encantó recibir un papel que proclamaba el nacimiento de su

verdades: que todos los hombres son Creador de ciertos derechos inaliena- libertad y la búsqueda de la felicidad

país. Como el documento decía "EN EL CONGRE-SO, 4 DE JULIO DE 1776", en esa fecha se comenzó a conmemorar el cumpleaños de la nación. Todavía en nuestros días se celebra el Cuatro de Julio como el día en que nació el país.

¿Volvió famoso instantáneamente a Jefferson el hecho de haber escrito la Declaración? No. El Congreso quería que la Declaración fuera "una expresión del pensamiento estadounidense", según palabras del mismo Jefferson. De manera que al documento no se le puso el nombre de su autor. Hasta 1784, cuando un periódico lo mencionó, muy poca gente sabía que había sido Tomás Jefferson quien escribió el "certificado de nacimiento" del país.

Capítulo 4
Gobernador y ministro en Francia

La mayoría de los miembros del Congreso firmó la Declaración el 2 de agosto de 1776. Su autor firmó *Th Jefferson*. Luego de firmar, ya estaba listo para volver a casa. Extrañaba a su familia y, además, sentía que lo necesitaban en Virginia. Renunció a su puesto en el Congreso el 2 de septiembre y llegó a Monticello una semana después.

En octubre, Jefferson se convirtió en miembro de la nueva legislatura de Virginia. Ocupó ese cargo durante tres difíciles años. Inglaterra era el país más poderoso del mundo. Por un buen tiempo, parecía como si Estados Unidos fuera a perder la guerra.

Jefferson se postuló para gobernador de Virginia en junio de 1779. Resultó elegido y se desempeñó en el cargo durante dos años. Jefferson era un pensador brillante y escritor maravilloso, pero no resultó ser un buen gobernador en tiempos de guerra. Quizás el problema era que en lo más profundo de su corazón era un hombre de paz. No era bueno para formar ni armar hombres para combatir. Como consecuencia, Virginia no estaba preparada cuando los ingleses invadieron el estado en 1781.

El 2 de junio de 1781, con el territorio de Virginia tomado por los británicos, se terminó el periodo de Jefferson como gobernador. Dos días después, un mensajero llegó a Monticello con terribles noticias: ¡los británicos vendrían a capturarlo! Jefferson dispuso que Martha y los niños escaparan en un carruaje. Luego, se internó en el bosque a ver si veía al enemigo. Al no ver señal de ellos, decidió regresar

a casa por unos documentos. Antes de irse, tomó un telescopio que había traído consigo. Miró hacia Charlottesville, a tan sólo 2 millas de Monticello. El pueblo estaba plagado de soldados británicos.

El telescopio probablemente le salvó la vida. Los británicos habían tomado Monticello. Si Jefferson hubiera regresado a casa, lo habrían capturado y ahorcado. En cambio, pudo reunirse con su familia.

Un soldado continental

- MOSQUETE
- TRICORNIO
- BAYONETA
- MOCHILA
- HACHA DE GUERRA
- CANTIMPLORA
- CUERNO DE PÓLVORA
- BOLSA DE MUNICIONES

Las primeras banderas

CUANDO LAS TRECE COLONIAS ENTRARON EN GUERRA CONTRA INGLATERRA, QUISIERON TENER UNA BANDERA PROPIA QUE REPRESENTARA LA TIERRA POR LA CUAL ESTABAN LUCHANDO. ÉSTAS SON ALGUNAS DE LAS BANDERAS QUE SE USARON DURANTE LA GUERRA.

Jefferson los llevó a Bosque Poplar, una plantación que tenía a unas 80 millas de Monticello.

Unos meses después de que los Jefferson tuvieran que huir de Monticello, los estadounidenses consiguieron una impresionante victoria. Ocurrió precisamente en Virginia. Benjamín Franklin había convencido a Francia para que apoyara a Estados Unidos a combatir a Inglaterra. En octubre de 1781, las tropas de George Washington, acompañadas de soldados franceses, derrotaron a los británicos en Yorktown, Virginia. Esta victoria significó el triunfo definitivo de Estados Unidos en la guerra por su independencia.

BATALLA DE YORKTOWN, 19 DE OCTUBRE DE 1781

Nadie estaba más feliz que Tomás Jefferson por el logro de la independencia. Con seguridad, eran tiempos felices para Jefferson. Sin embargo, en Virginia algunos lo acusaban de no haber hecho antes lo suficiente como gobernador para proteger el estado. La legislatura de Virginia llegó a realizar audiencias sobre este asunto. A finales de 1781, se liberó a Jefferson de toda culpa. Sin embargo, las duras palabras de parte de personas de su propio estado lo lastimaron profundamente. Para empeorar su situación, se cayó montando a caballo. Se fracturó la muñeca izquierda y sufrió otras lesiones. No pudo salir de su casa durante seis semanas.

Al año siguiente, le vino el golpe más duro de todos. A comienzos de 1782, los Jefferson regresaron a Monticello. El 8 de mayo, Martha dio a luz a su sexto y último hijo, una niña a la que llamaron Lucy Elizabeth. Después del parto, Martha se puso cada día más débil. Durante meses, Tomás permaneció junto a su cama. Le leyó sus libros favoritos. En la noche dormía en una habitación cercana.

En sus últimos días, Martha le reveló a Tomás su última voluntad. Tenían tres hijos, Patsy, María y la pequeña Lucy Elizabeth. Martha no podía soportar la idea de que una madrastra criara a sus hijos. Le rogó a su esposo que le prometiera que nunca se volvería a casar. Tomás se lo prometió. Al poco tiempo, el 6 de septiembre de 1782, Martha murió.

La hija mayor de Tomás tenía 9 años en aquel momento. Muchos años después, Patsy escribió que su padre estuvo a punto de enloquecerse de la pena. No salió de su habitación en tres semanas. Cuando al

fin salió, comenzó a dar paseos largos por el bosque montado en su caballo. "La violencia de sus emociones, de su dolor —escribió Patsy medio siglo más tarde— es algo que no me atrevo a describir."

Amigos como James Madison pensaban que Tomás debía regresar a la política. Eso distraería su mente, alejándolo de la pena. Jefferson estuvo de acuerdo. En junio de 1783, lo eligieron para el Congreso Continental. Durante los siguientes meses, trabajó en casi todos los comités importantes del Congreso. También escribió al menos 31 documentos oficiales.

En la primavera de 1784, el Congreso le encomendó una importante labor. Debía viajar a Francia para ayudar a hacer tratados con países europeos. Jefferson dejó a sus dos hijas menores con unos

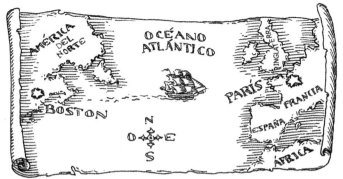

familiares, pero Patsy, que ahora tenía 11 años de edad, acompañó a su padre en el viaje de 3,800 millas. Llegaron a París el 6 de agosto.

Tan pronto llegó a Francia, su trabajo cambió. Benjamín Franklin había renunciado a su cargo de ministro de Estados Unidos en Francia. Como Jefferson sabía un poco de francés, lo eligieron para reemplazarlo. Su trabajo consistía en asegurarse de que Estados Unidos y Francia continuaran siendo amigos. Se reunía con empleados oficiales franceses y viajaba por todo el país.

En Virginia, las cosas no iban bien. En octubre de 1784, Lucy Elizabeth, que ahora tenía 2 años, murió a causa de una tos ferina. Las noticias viajaban tan lentamente en barco, que Jefferson se enteró de la muerte de su hija tres meses después. El acongojado padre deseaba que su otra hija se reuniera con él y Patsy en Francia. Pero María, de apenas 8 años, era muy pequeña para viajar sola. Jefferson escribió a su casa pidiendo que uno de sus esclavos se embarcara con ella.

Enviaron a María con una esclava llamada Sally Hemings, de tan sólo 14 años de edad. Las dos chicas llegaron a Francia a mediados de 1787. María entró a la misma escuela a la que iba Patsy. Sally comenzó a trabajar como sirvienta en el apartamento de los Jefferson en París.

SALLY HEMINGS

Sally Hemings no era tan sólo una esclava. Estaba emparentada con la esposa de Jefferson. Los padres de Martha Jefferson eran John y Martha Wayles. El padre de Martha también tuvo seis hijos con una de sus esclavas. A estos niños se les consideraba negros, y fueron criados como esclavos. Sally era uno de ellos. Debido a que tenían el mismo padre, Martha y Sally eran medio hermanas. Después de la muerte de John Wayles, en 1773, Sally se había convertido en esclava de Martha y Tomás Jefferson en Monticello.

Es probable que Sally se pareciera a su medio hermana. Quizás a Tomás, Sally le recordaba a Martha de otras maneras. Jefferson inició una relación con Sally. Ella en realidad no tenía mucho poder de decisión al respecto. Como Jefferson era su amo, Sally tenía que hacer lo que él quisiera. Ésta era apenas una de las cosas malas de la esclavitud. Sin embargo, con el tiempo, parece que creció el afecto entre Tomás y Sally, quienes mantuvieron su relación por cerca de 40 años.

En 1789, Sally quedó embarazada. Tomás era el padre de la criatura. Jefferson llevaba cinco años viviendo en el exterior y ya quería regresar a casa. El Congreso le dijo que podía hacerlo. Pero Jefferson tenía un problema: bajo la ley francesa, Sally podría quedarse en Francia y obtener así la libertad. Ella aceptó regresar a EE.UU. sólo si Jefferson le prometía que los hijos de ambos serían libres al alcanzar la mayoría de edad. Es probable que Sally también haya pedido la libertad para sí misma.

Jefferson estuvo de acuerdo. En el otoño de 1789, se embarcaron con las niñas rumbo a casa. Por poco no llegan con vida. Cerca de la costa de Virginia,

una tormenta azotó el barco, desgarrando algunas velas. Otra nave estuvo a punto de estrellarse contra la de ellos. El barco también se incendió; afortunadamente, ya habían desembarcado.

Los viajeros llegaron a Monticello dos días antes de la Navidad. El bebé de Sally nació unos días después, pero al parecer vivió poco tiempo. La relación entre Tomás y Sally continuó. Tuvieron seis hijos más durante los siguientes 19 años. Dos murieron aún pequeños. Sus hijos Beverley, Madison y Eston, y su hija Harriet llegaron a ser adultos. Como su madre, eran esclavos en Monticello.

Muchos años después, Madison Hemings se quejó de que Jefferson jamás les hubiera demostrado a sus hijos esclavos "afecto paternal". Sin embargo, Jefferson favoreció de alguna manera a Sally y a sus hijos. Se aseguró de que hicieran trabajos más livianos que los otros esclavos del campo. Sally y Harriet se encargaban de quehaceres domésticos y cosían. Los muchachos hacían diligencias y trabajaban en carpintería.

Más tarde, Sally y sus hijos fueron libres, aunque no por muchos años.

Capítulo 5
Secretario de Estado y vicepresidente

Cuando Jefferson regresó a casa en 1789, lo esperaba una carta de George Washington. En esa primavera, Washington se había convertido en el primer
presidente del país. Quería que Jefferson fuera su

secretario de Estado. Esto significa que sería el jefe del Departamento de Estado, que supervisa las relaciones de Estados Unidos con otros países. Jefferson le escribió una carta para rechazar el cargo. Tenía 46 años, y deseaba tomarse un año de descanso. Pero Washington no se rindió. Le envió una segunda carta en la que decía que no podría hacer su trabajo sin su ayuda. Jefferson no podía rechazar dos veces la propuesta de un héroe de la Independencia. Esperó hasta el matrimonio de su hija Patsy, en febrero de 1790, y al mes siguiente viajó a Nueva York, que entonces era la capital de la nación. Llegó allí para formar parte del gabinete de Washington.

Jefferson se desempeñó como secretario de Estado por casi cuatro años. Para evitar que algún espía pudiera leer su correspondencia, inventó un aparato para escribir mensajes privados. El aparato, al que llamó "rueda cifrada", le permitía escribir usando un código secreto.

RUEDA CIFRADA

Como secretario de Estado, Tomás Jefferson ayudó a evitar conflictos con Gran Bretaña, Francia y España. Sin embargo, dentro del país Jefferson tenía sus propios conflictos con el secretario del Tesoro,

Alexander Hamilton. Ambos tenían opiniones diferentes respecto al futuro del país. Hamilton quería que Estados Unidos se convirtiera en una nación de grandes negocios y grandes ciudades. Estaba a favor de un gobierno fuerte que le dijera a los estados lo que podían y no podían hacer. Jefferson prefería una nación de pequeñas granjas y pequeños pueblos.

Era partidario de un gobierno que se involucrara lo menos posible en la vida de la gente. La confrontación de ideas entre Jefferson y Hamilton provocó la creación de partidos políticos. Jefferson se convirtió en líder del partido Demócrata-Republicano. Por su parte, Hamilton se convirtió en líder del partido Federalista. En la actualidad, todavía tenemos dos partidos políticos, pero no son los mismos que en aquella época lideraban Jefferson y Hamilton.

Las diferencias políticas no eran el único problema entre estos dos hombres. Jefferson y Hamilton realmente no se llevaban bien. Discutían en las reuniones del gabinete y se peleaban en los periódicos. Jefferson se cansó de la confrontación y renunció a su cargo a finales de 1793. A comienzos del año siguiente, regresó a Monticello.

Jefferson pasó los siguientes tres años tranquilo en su casa. Leyó. Comenzó a remodelar la mansión, lo que continuó haciendo por casi quince años más. Mejoró su granja. Hizo que los esclavos plantaran

árboles, flores y varios cultivos. Entre los muchos pasatiempos que despertaban el interés de Jefferson estaba la colección de fósiles. Lo apodaban "Señor Mamut" porque coleccionaba huesos de estos animales, parecidos a los elefantes, que existieron hace mucho tiempo. También le gustaba inventar cosas. Sus inventos incluían un nuevo tipo de arado y un

ARADO

modelo mejorado de reloj solar. Aunque se mantuvo entretenido con todo esto, pasó lo de siempre: no pudo mantenerse alejado de la política por mucho tiempo.

RELOJ SOLAR

Washington se retiró de la presidencia al final de su segundo periodo. John Adams, quien fuera su vicepresidente, esperaba ganar las elecciones presidenciales en 1796. Él era el candidato del partido Federalista. Los Demócratas-Republicanos eligieron a Jefferson como su candidato.

Muy pocas veces un candidato se ha esforzado tan poco por ganar como lo hizo Jefferson en 1796. Jefferson no dio discursos. Es más, le dijo a su yerno que prefería que John Adams ganara.

La votación que obtuvieron fue muy pareja. Adams ganó con 71 votos electorales. La ley decía en aquellos tiempos que el candidato con la segunda votación más alta se convertiría en vicepresidente.

Y en eso se convirtió Tomás Jefferson, con 68 votos. Jefferson se mudó a Filadelfia, la capital de Estados Unidos, y comenzó su periodo como vicepresidente en 1797.

Jefferson y Adams eran viejos amigos. Al principio se llevaron muy bien, pero con el tiempo comenzaron a tener conflictos. Jefferson se sentía ofendido porque el Presidente no le consultaba sus decisiones en la mayoría de los asuntos. En una carta, le escribió a su hija Patsy: "Lamento muchísimo estar perdiendo mi tiempo aquí cuando podría estar haciendo tantas cosas importantes en casa".

John Adams se postuló nuevamente para la presidencia en 1800. Tomás Jefferson también. Pero esta vez, estaba muy deseoso de ganar.

Capítulo 6
Nuestro tercer presidente

La lucha por la presidencia en 1800 fue intensa. Adams y Jefferson se habían convertido en enemigos. Aaron Burr también quería ser presidente, e hizo pactos secretos para ganar. Al final ganó Tomás Jefferson, y Aaron Burr fue elegido vicepresidente.

Jefferson asumió su cargo el 4 de marzo de 1801. Fue el primer presidente investido en Washington, D.C., que se había convertido en la Capital permanente de la nación en 1800. Había estado viviendo en una pensión en Washington. Muchos pensaban que se vestiría de manera muy elegante y llegaría en un carruaje a su ceremonia de investidura. Sin embargo, ese día, Jefferson se vistió de manera muy sencilla y se fue caminando desde la pensión hasta el Capitolio, que estaba a dos cuadras de distancia.

Allí prestó su juramento como presidente.

Jefferson dio un excelente discurso. Unas mil personas se reunieron para oírlo. El nuevo presidente les pidió a los estadounidenses que dejaran de lado sus diferencias políticas. "Todos somos republicanos; todos somos federalistas", dijo. También dejó claro cuál era su meta: "La paz… y una amistad sincera con todas las naciones". El único problema fue que sólo lo escucharon las personas que estaban en las primeras filas. Jefferson seguía siendo un pésimo orador. Además, estaba muy nervioso. Habló en un tono tan bajo, que mucha gente tuvo que leer su discurso en los periódicos al día siguiente.

El nuevo presidente se mudó a la Casa Blanca, que aún se estaba terminando de construir. Jefferson resultó ser un líder ejemplar. Hacía tiempo que deseaba que el país se expandiera hacia el oeste. En 1803, celebró el mejor negocio de compra de tierras de la historia de EE.UU. Por $15 millones, la nación le compró a Francia 828,000 millas cuadradas de tierra, lo que hoy constituye la región central de Estados Unidos. El negocio, que se llamó "La compra de Luisiana", duplicó el tamaño del país. Más tarde, en ese territorio se formaron 15 nuevos estados.

Jefferson sentía curiosidad por las tierras que estaban al otro lado de la Compra de Luisiana. En 1804,

La expedición de Lewis y Clark

MERIWETHER LEWIS

WILLIAM CLARK

TOMÁS JEFFERSON SIEMPRE HABÍA TENIDO CURIOSIDAD POR LAS TIERRAS DEL OESTE. CUANDO SE CONVIRTIÓ EN PRESIDENTE, ENVIÓ UNA EXPEDICIÓN A EXPLORAR Y HACER MAPAS DE ESTOS TERRITORIOS. EN MAYO DE 1804, LOS DOS CAPITANES DE LA EXPEDICIÓN, MERIWETHER LEWIS Y WILLIAM CLARK, PARTIERON DESDE UN LUGAR CERCANO A ST. LOUIS, MISSOURI. VIAJARON POR RÍO Y POR TIERRA HASTA LA COSTA DE OREGÓN Y DE VUELTA, RECORRIENDO UNA DISTANCIA TOTAL DE 8,000 MILLAS. LOS ACOMPAÑÓ UN GRUPO DE HOMBRES Y LA INDÍGENA SHOSHONE SACAGAWEA, QUE IBA COMO INTÉRPRETE. EL VIAJE DURÓ DOS AÑOS Y CUATRO MESES.

envió a un grupo de exploradores, encabezados por Meriwether Lewis y William Clark. Viajaron desde un punto cerca de St. Louis, Missouri, hasta el Noroeste del Pacífico. En el viaje aprendieron acerca de las tierras del oeste y los indígenas que las habitaban. Más tarde, EE.UU. tomó posesión de los territorios que exploraron Lewis y Clark. Luego se convertirían en tres nuevos estados: Washington, Idaho y Oregón.

Jefferson impuso un nuevo estilo de presidencia. Washington y Adams habían sido muy formales y solemnes. Jefferson era muy relajado y amistoso.

LA CASA BLANCA

LA CASA BLANCA EN TIMEPOS DE JEFFERSON

LA CONSTRUCCIÓN DE LA CASA BLANCA, QUE SERÍA LA VIVIENDA DEL PRESIDENTE, SE INICIÓ EN 1792. GEORGE WASHINGTON ELIGIÓ EL LUGAR DONDE ESTARÍA LA MANSIÓN, PERO NUNCA VIVIÓ EN ELLA. JOHN ADAMS Y SU ESPOSA, ABIGAIL, FUERON LOS PRIMEROS RESIDENTES DE LA CASA BLANCA. SE MUDARON A FINALES DE 1800.

LA CASA BLANCA EN LA ACTUALIDAD

El presidente montaba a caballo por Washington, deteniéndose con frecuencia para conversar con extraños. Abrió la Casa Blanca al público. "Llevaba un saco viejo de color marrón, calcetines de lana y pantuflas sin tacón", escribió un visitante de Nueva Hampshire. "Yo pensé que era uno de los criados, pero era el Presidente". La mascota de Jefferson, un sinsonte llamado Dick, también sorprendía a los visitantes. Le gustaba volar por toda la Casa Blanca, y a veces aterrizaba en el hombro del Presidente.

Jefferson fue reelegido a finales de 1804. Esta vez, George Clinton, de Nueva York, fue elegido vicepresidente. Al momento de tomar su cargo por segunda vez, Tomás tenía 61 años y ya era abuelo. A veces sus seres queridos viajaban de Virginia a Washington para visitarlo. En una de esas visitas, a comienzos de 1806, Patsy dio a luz a su octavo hijo. El bebé fue bautizado James Madison Randolph. James fue el primer bebé que nació en la Casa Blanca.

El Presidente también se mantenía en contacto con su familia a través de cartas. El 4 de marzo de 1805, día de su segunda ceremonia de investidura, le escribió a su nieta Ellen. Según le explicó, la "presión del día" no le permitía escribir una carta larga, pero le escribió un poema. Su carta terminaba así:

Me están llamando. Por consiguiente, que Dios te bendiga mi querida niña. Dales un beso a tu madre y a tus hermanas de mi parte, y diles que estaré con ellas más o menos dentro de una semana.

Th. Jefferson

Jefferson esperaba que sus nietos le respondieran sus cartas. Como Ellen no le respondió la carta del 4 de marzo, él volvió a escribirle a finales de la primavera diciéndole que si no le escribía pronto "enviaré al alguacil a buscarte". Aunque la pequeña de 9 años sabía que su abuelo, el Presidente, lo decía en broma, de todos modos le escribió.

Mantener la paz fue el reto más grande durante el segundo periodo del presidente Jefferson. Los británicos necesitaban marineros para sus barcos. Con frecuencia atacaban las naves estadounidenses en alta mar y secuestraban a los marineros. Para empeorar las cosas, en 1807, Gran Bretaña atacó el barco *Chesapeake* de la Armada estadounidense. Jefferson ordenó a las naves británicas que se mantuvieran fuera de las aguas estadounidenses. Al interior del país, crecía el clamor por vengarse de Gran Bretaña, pero Jefferson no cedió a esta presión manteniendo así a la nación alejada de la guerra.

Como presidente, Jefferson también consideró maneras de terminar con la esclavitud. El hombre que había escrito "todos los hombres son creados iguales", sabía que la esclavitud no debía existir. Una vez escribió: "Nada está escrito con tanta certeza en el libro del destino como que estas personas [los esclavos] han de ser libres". Ya en 1774 había dicho que liberar a los esclavos era el "gran objeto del deseo" de las trece colonias. También se daba cuenta de que él mismo era parte del problema. A través de los años llegó a tener 400 esclavos en Monticello, incluyendo a Sally Hemings y sus cuatro hijos esclavos.

Jefferson consideró maneras de poner fin a la esclavitud. ¿Se debía liberar a todos los esclavos a la vez? ¿Se deberían ir liberando gradualmente? ¿O se debería más bien prohibir la entrada de nuevos esclavos al país? Jefferson pensaba que liberar todos los esclavos al tiempo podría causar problemas. Un esclavo valía cientos de dólares. Los blancos del Sur

probablemente lucharían con todas sus fuerzas si se ordenaba la liberación de sus esclavos.

Finalmente se atrevió a actuar en contra de la esclavitud en 1806, aunque de manera débil. Ese diciembre, le pidió al Congreso que prohibiera el comercio de esclavos. A partir de enero de 1808, sería ilegal traer nuevos esclavos al país. Jefferson esperaba que esta medida fuera acabando poco a poco con la esclavitud, pero no fue así. Se inició un tráfico ilegal de esclavos. Además, los esclavos que ya estaban en EE.UU. tenían hijos, los cuales nacían esclavos, incrementándose así la población esclavizada. La incapacidad de Jefferson para tomar medidas drásticas en contra de la esclavitud fue quizás su peor falla como presidente. No fue sino hasta 1865 que la Guerra Civil puso fin a la esclavitud en Estados Unidos.

Es probable que Jefferson hubiera ganado las elecciones para un tercer periodo, pero él pensaba, al igual que Washington, que dos periodos eran suficiente. Además, durante su segundo periodo sufría de dolores de cabeza muy fuertes que, en ocasiones,

JAMES MADISON

no le permitían trabajar por días. Entonces, decidió no postularse en 1808. Se puso muy contento cuando se enteró de que su sucesor sería su amigo James Madison.

En marzo de 1809, cuando se celebró la ceremonia de investidura de Madison, éste le pidió a Jefferson que lo acompañara en su carruaje. Jefferson se negó, pues no quería recibir un tratamiento especial. "Hoy mismo regreso a la gente", afirmó.

El ex presidente Jefferson regresó entonces a su casa en Monticello.

Capítulo 7
Los últimos años en Monticello

Jefferson estaba por cumplir 66 años cuando regresó a Monticello. Pasó los últimos 17 años de su vida en la casa que amaba.

El año en que regresó su padre, Patsy se mudó a Monticello con su esposo y sus hijos. De los 12 hijos que tuvo Patsy, todos menos uno llegaron a edad adulta. María, la otra hija de Jefferson, había muerto. Su hijo Francis, que tenía 7 años cuando su abuelo se retiró a Monticello, lo visitaba con frecuencia.

No había nada que a Jefferson le gustara más que pasar el tiempo con sus nietos. El abuelo Jefferson tocaba el violín mientras ellos bailaban, competía carreras con ellos en el jardín y les daba libros y otros regalos. A su nieta Ellen le dio un regalo especial: el escritorio portátil en el cual había escrito años atrás la Declaración de Independencia.

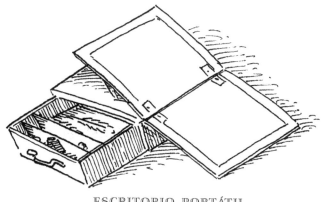

ESCRITORIO PORTÁTIL

Cuando estaba lejos de sus nietos, Jefferson les escribía. En una carta a su nieta Cornelia, le dijo que debía prestar atención a los signos de puntuación y las mayúsculas al escribir. Incluyó una pequeña rima para darle un ejemplo:

He visto el mar en medio de las llamas
He visto una casa en lo alto más allá de la luna
He visto el sol a la media noche
He visto al hombre que vio todas estas maravillas.

Jefferson quería que su nieta entendiera lo importante que era usar bien los signos de puntuación y las mayúsculas:

He visto el mar. En medio de las llamas,
he visto una casa. En lo alto, más allá de la luna,
he visto el sol. A la media noche
he visto al hombre que vio todas estas maravillas.

La pequeña Cornelia Jefferson Randolph, respondió así la carta de su abuelo:

Querido abuelito:

Espero que disculpes mi mala redacción, pues ésta es la primera carta que escribo, hay muchos errores, en ella lo sé pero los perdonarás; Estoy leyendo un libro muy bonito, me gusta mucho. todos los niños te envían cariños todos tenemos muchas ganas de verte. adiós mi querido abuelito, créeme que soy la nieta que más te quiere. C.R.

Jefferson se quejaba si sus nietos no le respondían sus cartas. Los niños solían hacerle bromas cuando era él quien no respondía las suyas. En 1813, Francis, que entonces tenía 11 años, escribió:

Abril de 1813

Querido abuelito:

Tengo muchas ganas de verte siento mucho que no me escribas esta carta es la segunda que te mando y si no me respondes esta carta no te vuelvo a escribir más…

En realidad, era muy raro que Jefferson no respondiera una carta. Escribió 36,000 cartas durante su vida. En aquel tiempo, la gente hacía copias de sus cartas a mano. Jefferson tenía un aparato que hacía las copias a medida que él escribía. Era una especie de escritorio con varias plumas atadas con alambres. Él escribía con una de las plumas y las demás se movían automáticamente copiando el texto. Jefferson no inventó este aparato, pero lo perfeccionó.

LAS PRIMERAS OFICINAS DE CORREO

EN 1789, EL CONGRESO CREÓ EL SERVICIO
DE CORREO POSTAL DE ESTADOS UNIDOS, UNA
DEPENDENCIA DEL GOBIERNO FEDERAL. SE
FIJARON TARIFAS DE ACUERDO CON LA DISTANCIA
QUE VIAJABA EL CORREO Y LA CANTIDAD DE
PÁGINAS QUE SE ENVIABAN. CASI TODAS LAS
PERSONAS RECOGÍAN SU CORREO EN LA OFICINA
DE CORREO MÁS CERCANA (SOLÍA SER LA POSADA O
LA TIENDA DEL PUEBLO), HASTA QUE EN 1794 UNA
LEY CREÓ LA ENTREGA DEL CORREO A DOMICILIO
POR 2 CENTAVOS ADICIONALES. EN CUALQUIER
CASO, QUIEN PAGABA ERA EL DESTINATARIO, EN
LUGAR DEL REMITENTE.

Muchas de sus cartas fueron para otro ex presidente. En 1811, Adams y Jefferson cumplieron 10 años sin hablarse. Los amigos los convencieron de que hicieran las paces. En 1812, comenzaron a enviarse cartas. Adams tenía 76 años y Jefferson, 68. Se escribieron acerca de religión y política, y sobre cómo vivirían su vida si pudieran regresar el tiempo. A pesar de estar separados 500 millas (Adams vivía en Massachusetts y Jefferson, en Virginia), se mantuvieron en contacto por carta hasta sus últimos días.

Durante su vejez, Jefferson también hizo realidad un viejo sueño. Por mucho tiempo había planeado fundar una universidad en Virginia. Eligió el pueblo de Charlottesville, cerca de su casa. Ayudó a reunir fondos para la universidad, escogió a la mayoría de los profesores y creó los planes de estudio. Jefferson era un excelente arquitecto. Esta vez con la ayuda de su nieta Cornelia, diseñó los edificios de la nueva universidad. Cornelia, con apenas 20 años, estaba dotada de un gran talento artístico.

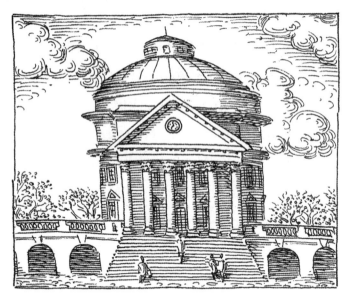

UNIVERSIDAD DE VIRGINIA

Jefferson tenía casi 82 años cuando la Universidad de Virginia comenzó a funcionar en 1825. El campus de esta universidad sigue siendo uno de los más hermosos de Estados Unidos.

Infortunadamente, Jefferson enfrentó muchas dificultades económicas durante este tiempo. Luego de su retiro de la presidencia, pidió prestados $8,000 para pagar las deudas que tenía en Washington. Sin embargo, las cosas empeoraron en Monticello. En 1815, decidió venderle sus libros al gobierno para conseguir dinero. Sus 6,000 libros se convirtieron en la base de la Biblioteca del Congreso.

El dinero por la venta de los libros sirvió por un tiempo, pero pérdidas en varias cosechas, una inundación y un préstamo que le hizo a un amigo volvieron a crearle problemas financieros. En enero de 1826, Jefferson no tenía dinero para pagar los víveres. Debía un total de $100,000, el equivalente a unos $2 millones en la actualidad. Todo indicaba que no le quedaba más alternativa que vender Monticello. Las donaciones de algunos amigos, e incluso de extraños, lo salvaron de la ruina total.

Sin embargo, mientras su familia estuviera cerca y hubiera libros para leer, él estaba satisfecho.

De hecho, gozó de buena salud hasta recién entrado en los 80 años de edad. Casi a diario montaba su caballo, Eagle, por una hora o dos. Pero a medida que se fue acercando su cumpleaños número 83, Jefferson fue decayendo. En febrero, comenzó a quedarse en cama gran parte del tiempo. Su familia se dio cuenta de que no le quedaba mucho tiempo de vida.

El 2 de julio, Jefferson reunió a su familia alrededor de su cama. Les pidió que, en memoria suya, tuvieran una vida buena y honesta. Todavía le quedaba un último deseo: quería celebrar una vez más un día muy especial. Con frecuencia preguntaba: "¿ya es 4?, ¿ya es 4?".

El día que tanto esperaba llegó por fin. En la tarde, Tomás Jefferson exhaló su último suspiro. Por una increíble coincidencia, ese mismo día murió John Adams, a los 90 años, en Massachusetts.

Ambos murieron el 4 de julio de 1826, en el Quincuagésimo Aniversario de la Declaración de Independencia.

Capítulo 8
El legado de Tomás Jefferson

Jefferson cumplió la promesa que le había hecho a Sally Hemings. Sus cuatro hijos fueron liberados, unos mientras él estaba todavía vivo y otros en cumplimiento de su testamento. Su hijo Beverley y su hija Harriet se establecieron en Washington, D.C. Madison se fue a Ohio, donde se ganó la vida como agricultor y carpintero. Eston, un violinista profesional, vivió primero en Ohio y luego en Wisconsin. Sally Hemings obtuvo la libertad al poco tiempo de morir Jefferson. Se estableció en Charlottesville, Virginia, y vivió hasta los 62 años. Patsy tuvo 32 nietos y vivió hasta los 64 años.

Después de la muerte de Jefferson, la mansión de Monticello quedó abandonada por muchos años. En 1923, la compró un grupo de personas que la restauraron. Hoy es un museo y recibe visitantes de todos los rincones del mundo que quieren aprender acerca de Jefferson y su época.

En todo Estados Unidos muchos pueblos, parques y otros lugares llevan el nombre de Tomás Jefferson. Desde 1938, el rostro de nuestro tercer presidente aparece en una cara de las monedas de 5 centavos, y su casa, Monticello, en la otra cara. Para celebrar el segundo centenario de su natalicio, el 13 de abril de 1943 se inauguró el Monumento a Jefferson, en Washington, D.C. Allí hay una estatua de él y algunos fragmentos de sus escritos.

En 1941 se terminó de hacer el Monumento Nacional Monte Rushmore, en Dakota del Sur.

MONTE RUSHMORE

Esta enorme escultura representa a cuatro grandes presidentes: George Washington, Tomás Jefferson, Teodoro Roosevelt y Abraham Lincoln.

También hay un día feriado nacional relacionado con Jefferson. La mayoría de los estadounidenses

lo llaman Cuatro de Julio. Otros lo llaman Día de la Independencia. Es el cumpleaños de la Declaración de Independencia y del país que Tomás Jefferson ayudó a crear.

Th Jefferson

Frases célebres de Jefferson

Al igual que Benjamín Franklin, a Tomás Jefferson le gustaba usar expresiones y frases para atrapar la atención de sus oyentes; algunas de estas expresiones las inventó él mismo. He aquí unas cuantas.

"Oponerse a la tiranía es obedecerle a Dios."
Un dicho favorito de T.J.

"Es maravilloso todo lo que se puede hacer cuando uno está haciendo algo siempre."
De una carta a su hija Patsy, fechada el 5 de mayo de 1787

"Una mente que siempre está ocupada, siempre está feliz."
A Patsy, 21 de mayo de 1787

"Ninguno de nosotros, ni uno sólo, es perfecto."
> A Patsy, 17 de julio de 1790

"La demora es preferible al error."
> De una carta a George Washington, fechada el 16 de mayo de 1792

"La esperanza es mucho más placentera que el desespero."
> De una carta a su nieta Ellen, fechada el 29 de junio de 1807

Th Jefferson

LÍNEA CRONOLÓGICA DE LA VIDA DE TOMÁS JEFFERSON

1743 — Nace Tomás Jefferson el 13 de abril en Shadwell.

1752 — Lo envían a estudiar con el Reverendo William Douglas.

1757 — Muere su padre, Peter Jefferson.

1760 — Jefferson ingresa a la Universidad de William y Mary.

1769 — Jefferson gana un escaño en la Cámara de los Burgueses.

1770 — Se quema Shadwell; se inicia la construcción de Monticello.

1772 — Jefferson se casa con Martha Wayles Skelton.

1774 — Jefferson escribe *Breve análisis de los derechos de la América británica*.

1775 — Jefferson es elegido al Segundo Congreso Continental; comienza la Guerra de Independencia.

1776 — Jefferson escribe la Declaración de Independencia.

1779 — Jefferson es elegido gobernador de Virginia.

1782 — Muere Martha Jefferson.

1784 — Jefferson reemplaza a Benjamín Franklin como ministro en Francia.

1790 — Jefferson se convierte en secretario de Estado.

1796 — Jefferson se convierte en vicepresidente de Estados Unidos.

1801 — Jefferson es investido como presidente de Estados Unidos.

1803 — Estados Unidos adquiere la Compra de Luisiana.

1804 — Se inicia la expedición de Lewis y Clark; Jefferson es reelegido como presidente.

1809 — Jefferson se retira de la vida política y regresa a Monticello.

1815 — Jefferson le vende al gobierno su colección de libros.

1825 — Jefferson funda la Universidad de Virginia, diseñada por él y su nieta.

1826 — Jefferson muere en Monticello el 4 de julio, el día del quincuagésimo aniversario de la Declaración de Independencia.

LÍNEA CRONOLÓGICA DEL MUNDO

Se funda la Universidad de Princeton. — **1747**

El vals se vuelve un baile popular en Europa. — **1750**

Los chinos invaden y conquistan el Tíbet. — **1752**

Se instala la histórica Campana de la Libertad en — **1753**
Independence Hall, en Filadelfia.

Motín del Té de Boston. — **1773**

Luis XVI se convierte en Rey de Francia. — **1774**

Comienza la Guerra de Independencia de EE.UU.; se funda — **1775**
la ciudad de San Francisco.

El astrónomo Frederick William Herschel descubre el planeta Urano. — **1781**

Se realiza en París el primer viaje exitoso en globo de aire caliente. — **1783**

Se fabrica el primer barco a vapor. — **1787**

George Washington es elegido primer presidente de EE.UU.; — **1789**
comienza la Revolución Francesa.

Johnny Appleseed siembra manzanos en el Valle de Ohio. — **1801**

Se publica por primera vez el Diccionario Webster's. — **1806**

Luisiana se convierte en el decimoctavo estado de la Unión. — **1812**

Francis Scott Key escribe The Star Spangled Banner — **1814**
(La bandera llena de estrellas).

España cede Florida a Estados Unidos. — **1819**

Se firma el Compromiso de Missouri: Missouri es admitido en EE.UU. — **1820**
como estado esclavista, pero la esclavitud es prohibida en el
resto de la Compra de Luisiana.

Beethoven escribe la Novena Sinfonía. — **1823**

Se construye en Massachusetts el primer ferrocarril de EE.UU. — **1826**

¿Quién fue...?

¿Quién fue Albert Einstein?

¿Quién fue Amelia Earhart?

¿Quién fue Ana Frank?

¿Quién fue Benjamín Franklin?

¿Quién fue Fernando de Magallanes?

¿Quién fue Harriet Tubman?

¿Quién fue Harry Houdini?

¿Quién fue Mark Twain?

¿Quién fue el rey Tut?

¿Quién fue Tomás Jefferson?